100번 부업실패

AI로 극복하는법

100번 부업실패 AI로 극복하는법

발 행 | 2023년 12월 12일

저 자 | 박철혁

펴낸이 | 한건희

펴낸곳 | 주식회사 부크크

출판사등록 | 2014.07.15(제2014-16호)

주 소 | 서울특별시 금천구 가산디지털1로 119 SK트윈타워 A동 305호

전 화 | 1670-8316

이메일 | info@bookk.co.kr

ISBN | 979-11-410-5909-5

www.bookk.co.kr

100번
부업실패, AI로
극복하는법

박철혁 지음

CONTENT

프롤로그

제1장. 난 지금 아무것도 가진게 없습니다 - 무자본

"무자본의 힘: 성공을 향한 새로운 시작"

제2장. 시작하기 두렵습니다 - 첫걸음 쉽게 하는법

"첫걸음의 용기: 시작하기 두렵지 않게 하는 방법"

제3장. 부자가 되고 싶습니다 - 부의 원리

"부자가 되기 위한 원리와 전략"

제5장. 성공 따라가기 - 성공해석법

"성공의 비밀 품는 길: 성공 따라가기와 성공해석법"

제6장. 내가 지금 가난한 이유 - 가난한 습관 분석하기

"가난한 이유, 가난한 습관: 변화의 시작"

제7장. 저자가 변화를 원하는 독자들에게 / 에필로그

"변화의 문을 열어, 새로운 여정을 시작하다"

프롤로그

21세기, 인류는 빠르게 발전하는 기술과 혁신의 시대에 접어들었다. 특히, 인공 지능(AI)은 우리의 삶을 근본적으로 변화시키는 역할을 하고 있다. 이러한 변화는 기회와 도전을 동시에 야기하며, 우리는 이에 대한 대응 전략을 모색하고 있다.

우리는 급변하는 현대 사회에서 직면한 다양한 문제에 대한 해결책을 찾아야 한다. 이러한 과제들은 종종 우리의 통제를 벗어나거나, 예측하기 어렵기 때문에 더 나은 방법으로 대처해야 한다. 여기서 인공 지능이 우리에게 제공하는 새로운 가능성이 큰 역할을 할 것이다.

이 책에서는 우리가 직면한 도전들을 어떻게 AI 기술을 활용하여 극복할 수 있는지에 대해 탐구한다. 우리는 AI가 인간의 창의력, 협력, 윤리적 판단력을 어떻게 보완하고 지원할 수 있는지를 살펴보며, 이를 통해 미래를 더 나은 방향으로 향하도록 안내한다.

이 책은 기술적인 언어를 사용하지만, 그 뒤에는 우리의 삶에 미치는 영향과 함께 인류의 진보를 위한 대화의 시작임을 강조한다. 우리는 AI가 우리의 삶과 사회에 끼치는 영향을 이해하고, 이를 통해 지혜롭게 활용함으로써 미래를 더욱 밝게 만들 수 있을 것이다.

이 책은 AI 시대에 우리의 가치관, 도덕적 책임, 협력의 중요성 등에 대한 고찰을 제공하며, 독자들과 함께하는 대화의 시작점이 될 것이다. 함께 미래를 열어가며, 우리가 직면한 도전들을 AI를 통해 극복하는 방법에 대한 통찰력을 얻기를 기대한다.

제1장. 난 지금 아무것도 가진게 없습니다 - 무자본

"무자본의 힘: 성공을 향한 새로운 시작"

우리 삶에서 가진 것이 없다는 것은 종종 우리에게 절망감을 안겨줍니다. 하지만 그 순간이 바로 새로운 시작의 기회일지도 모릅니다. 이 책에서는 무자본 상태에서 시작하여 성공을 창출하는 다양한 방법과 전략을 살펴보겠습니다. 부자가 되기 위해서는 무조건적으로 돈만 있으면 된다는 고정관념을 깨고, 창의적이고 혁신적인 마음가짐으로 자산을 형성하는 방법을 탐험해보겠습니다.

1. 무자본의 의미와 인식

무자본이란 무엇일까요? 돈이나 물질적인 보유물을 갖지 않는다고

해서 모든 것이 무자본은 아닙니다. 이 장에서는 무자본의 정의와 인식의 중요성을 다루며, 성공을 위한 첫 번째 단계로서의 무자본의 역할을 살펴보겠습니다.

2. 창의적 사고와 아이디어의 힘

무자본 상태에서 가장 중요한 자산은 창의적인 사고와 혁신적인 아이디어입니다. 이 장에서는 일상적인 상황에서 창의성을 발휘하는 방법과 아이디어를 현실로 구현하는 데 필요한 전략을 탐험합니다. 성공적인 기업가들은 어떻게 무자본 상태에서 시작하여 창의적인 사고를 통해 성장해 나갔는지 살펴봅니다.

3. 인간관계의 중요성

돈이 없더라도 우리 주변에는 소중한 인간관계가 존재합니다. 이 장에서는 무자본 상태에서 사람들과의 관계를 어떻게 구축하고 활용하여 성공을 이룰 수 있는지에 대해 다룹니다. 네트워킹과 협업을 통해 자본을 형성하는 방법을 배우며, 무자본의 한계를 극복하는 법을 알아봅니다.

4. 무자본에서의 경험과 학습

경험과 학습은 가장 값진 자본 중 하나입니다. 이 장에서는 실패와 성공을 통해 얻은 교훈을 통해 어떻게 자신의 경험을 자산으로 활용할 수 있는지를 살펴봅니다. 무자본 상태에서는 더욱 높은 학습 곡선을 경험할 수 있으며, 이를 통해 성장과 발전의 길을 찾아가는 방법을 탐험합니다.

당신은 지금 아무것도 가진 것이 없다고 느끼고 있습니다. 하지만, 이것이 시작일 수도 있습니다. 무자본으로 시작한 많은 기업들이 성공을 거두었기 때문입니다.

무자본으로 시작하는 기업가들은 자신의 아이디어와 노력으로 성공을 이끌어냅니다. 이를 위해서는 열정과 투지가 필요합니다. 무자본으로 시작하는 기업가들은 자신의 아이디어를 구현하기 위해 대규모의 자본이 필요하지 않습니다. 대신, 창의적인 마케팅 전략과 적극적인 홍보를 통해 제품이나 서비스를 성공적으로 홍보할 수 있습니다.

하지만, 무자본으로 시작하는 것은 쉬운 일이 아닙니다. 자본이 없기 때문에 모든 것을 스스로 처리해야 하기 때문입니다. 따라서, 무자본으로 시작하는 기업가들은 더욱더 열심히 노력해야 합니다. 그러나, 이러한 경험은 무자본으로 시작한 기업가들에게 큰 자신감과 동기부여를 제공합니다.

현실적인 한계와 어려움에 직면하고 있는 지금, '아무 것도 가진 게 없다'는 상태가 우리에게 어떠한 의미를 지니는지 깊이 고찰해보았습니다. 이 순간, 무자본이라는 상황은 우리에게 새로운 시작의 기회를 제공하고 있습니다. 여러 가지 자원이 부족하다고 느낄 수 있지만, 이는 창의적이고 혁신적인 사고로 극복할 수 있는 과제일 뿐입니다.

새로운 가능성의 문

'아무 것도 가진 게 없다'는 것은 동시에 미개척된 가능성의 문을 의미합니다. 자본이 없다면 새로운 방향으로 나아가고, 예전과는 다른 관점에서 세상을 바라볼 수 있는 기회입니다. 무자본은 우리가 현재까지 경험하지 못한 도전과 성장의 기회를 제공합니다.

자기 자신을 발견하는 여정

무자본 상태에서는 자기 자신을 발견하는 여정이 시작됩니다. 어떠한 외부적인 영향이나 자원이 없다면, 우리는 내면의 역량과 열정을 발견하게 됩니다. 이는 자아 인식과 개인적인 목표를 다시 정립하는 좋은 기회로 이어집니다.

자유로움의 의미

자본이 없다는 것은 동시에 어떠한 제약에서도 벗어날 수 있는 자유로움을 의미합니다. 무자본은 새로운 규칙과 관행을 만들고, 기존의 틀을 깨뜨리며 창의성을 펼칠 수 있는 자유로움의 시작입니다. 이를 통해 우리는 혁신과 변화를 이끌어낼 수 있습니다.

소통과 협력의 가치

무자본에서의 여정은 다른 이들과의 소통과 협력이 더욱 중요해집니다. 서로에게 지원이 되고, 아이디어를 나누며 함께 성장하는 것이 무자본 상태에서의 성공을 가속화시키는 핵심입니다. 협력을 통해 우리는 강점을 발휘하고 약점을 보완할 수 있습니다.

무자본에서의 성공의 의미

무자본에서의 성공은 더 큰 의미를 지닙니다. 이는 단순히 물질적인 풍요가 아니라, 내면에서의 성장과 사회에 기여하는 새로운 가치를 창출하는 것입니다. 무자본에서의 성공은 우리의 인간성을 높이고, 지속적인 변화와 혁신을 통해 더 나은 세상을 만들어나가는 과정의 일환입니다.

   결국, '아무 것도 가진 게 없다'는 것은 새로운 시작의 출발점일 뿐입니다. 무자본은 우리에게 새로운 도전, 자기 발견, 자유로움, 소통과 협력, 그리고 높은 의미의 성공을 제공합니다. 이 순간을 무시하지 않고, 새로운 가능성을 탐험하며 무한한 잠재력을 개발하는 여정에서 우리는 더 큰 성취와 만족을 찾아갈 것입니다. 무자본의 시작이 곧 더 나은 미래의 창조적 성취로 이어질 것임을 믿습니다.

제2장. 시작하기 두렵습니다 - 첫걸음 쉽게 하는법

"첫걸음의 용기: 시작하기 두렵지 않게 하는 방법"

우리는 새로운 도전에 처음 발을 디딜 때 항상 두려움을 느낍니다. 그 첫걸음은 때로는 가장 어려운 일일 수 있지만, 용기를 내어 그 첫걸음을 내딛는 순간, 무한한 가능성의 문이 열립니다. 이 책에서는 시작하기를 두렵게 여기는 우리 모두를 위해, 첫걸음을 쉽게 내딛을 수 있는 다양한 방법과 실용적인 조언을 제시합니다.

1. 두려움을 이기는 마음가짐

시작하기 전에 두려움을 이기는 마음가짐을 가지는 것이 중요합니다. 이 장에서는 두려움을 이기고 긍정적인 마음가짐을 유지하는 방법을 살펴보며, 자신을 믿고 도전에 나서는 법을 탐험합니다.

2. 목표의 설정과 계획 수립

두렵지 않게 시작하는 핵심은 목표를 명확히 설정하고 그에 따른 계획을 세우는 것입니다. 이 장에서는 목표를 세우고 실현하기 위한 효과적인 계획 수립의 중요성을 다루며, 일상에서 실현 가능한 작은 목표부터 시작하는 방법을 소개합니다.

3. 실패와 배움의 가치

시작하기 쉽게 만드는 한 가지 방법은 실패를 두려워하지 않고 그로부터 배우는 것입니다. 이 장에서는 실패를 긍정적으로 받아들이고 성장의 기회로 활용하는 방법을 알아봅니다. 실패를 두려워하지 않고 도전에 나서는 것이 어떻게 삶을 풍요롭게 만들 수 있는지를 탐험합니다.

4. 지원체계의 활용

첫걸음을 내딛을 때 가장 큰 지원은 주변의 지원체계입니다. 가족, 친구, 동료들과의 소통과 협력을 통해 두려움을 극복하고 도전에 나서는 방법을 알아봅니다.

5. 지속 가능한 습관 형성

새로운 시작은 단기적인 노력이 아니라 장기적인 변화를 의미합니다. 이 장에서는 지속 가능한 습관을 형성하여 목표를 달성하는 방법에 대해 다룹니다.

시작하기를 두렵게 여기지 않고, 용기를 내어 첫걸음을 내딛는 방법을 습득할 것입니다. "첫걸음의 용기"를 갖고, 여러분의 꿈과 목표에 한 발짝 더 가까워져보세요. 시작은 언제나 가능하고, 그 시작이 여러분을 새로운 성공과 경험으로 이끌어 갈 것입니다.

시작하기 전에는 두려움이 자주 들 수 있습니다. 그러나, 이러한 두려움이 당신을 막을 필요는 없습니다. 당신이 하고자 하는 일이 무엇이든, 첫걸음부터 쉽게 시작할 수 있는 방법이 있습니다.

첫걸음을 쉽게 시작하는 방법 중 하나는 작은 목표를 설정하는 것입니다. 목표를 작고 구체적으로 설정하면, 더 쉽게 시작할 수 있습니다. 이러한 작은 목표를 달성하면서 자신감을 쌓아나가면, 더 큰 목표를 향해 나아갈 수 있습니다.

또한, 습관을 만들어 나가는 것도 매우 중요합니다. 습관을 만들면, 당신이 하고자 하는 일을 더 쉽게 시작할 수 있습니다. 매일 조금씩이라도 당신의 목표를 향해 나아가는 습관을 만들어나가면, 더 쉽게 성공할 수 있습니다.

하지만, 습관을 만들기 위해서는 노력과 인내가 필요합니다. 일상적인 일들을 할 때마다 당신의 목표를 생각하며, 그것을 위한 습관을 만들어나가야 합니다. 이러한 습관을 만들면, 당신은 더 많은 것을 이룰 수 있을 것입니다.

자신감을 가져야 합니다. 자신감이 있다면, 더 쉽게 시작할 수 있습니다. 자신감을 가지기 위해서는, 자신의 장점을 인식하고, 자신의 능력을 믿어야 합니다. 또한, 실패를 두려워하지 않고, 실패를 통해 배우며 성장할 수 있는 마인드셋을 가져야 합니다.

우리 삶에서 새로운 도전에 처음으로 발을 딛는 것은 언제나 두려움과 불안이 수반됩니다. 그러나 새로운 경로를 걷기 위한 첫걸음은 우리에게 무한한 가능성을 여는 문입니다. 이 책에서는 시작하기 두려운 순간에도 쉽게 첫걸음을 내딛는 방법에 대해 탐구하고, 그로부터 기대되는 성징과 성취의 여정을 살펴보았습니다.

자기를 수용하고 이해하기

처음으로 무엇인가를 시도할 때 우리는 자주 자신에게 부담감을 느낍니다. 그러나 자기 자신을 수용하고 현재의 능력과 가능성을 이해하는 것이 중요합니다. 자신을 인정하고 받아들이면서 시작할 수 있다면, 두려움이 줄어들고 자연스럽게 첫걸음을 내딛게 됩니다.

목표를 작게 나누기

큰 목표에 도달하기 위해서는 그것을 작은 단계로 나누는 것이 필요합니다. 첫걸음을 내딛기 위해서도 비슷한 원칙이 적용됩니다. 큰 목표를 작은 단계로 나누면, 각각의 작은 단계는 더욱 수월하게 다가갈 수 있는 기회로 변하게 됩니다.

실패를 긍정적으로 받아들이기

두려운 것 중 하나는 실패입니다. 그러나 실패는 단순한 좌절이 아니라, 배우고 성장하는 과정의 일부입니다. 실패를 긍정적인 경험으로 받아들이고 그로부터 얻은 교훈을 통해 더 나은 방향으로 나아갈 수 있습니다. 첫걸음에서 실패는 무엇보다도 당연한 일이며, 성공을 향한 학습의 출발점입니다.

도움을 청하고 네트워크 구축하기

혼자서 모든 것을 이루기는 어렵습니다. 시작의 두려움을 극복하고 성공을 위해 도움을 청하며 주변의 지원을 받는 것이 중요합니다. 친구, 가족, 동료들과 소통하고 네트워크를 구축하여 함께 성장하는 경험을 나눌 수 있습니다.

자주 쉬어가기

새로운 시작에서 두려움을 극복하고 첫걸음을 내딛기 위해서는 자주 쉬어가는 것이 중요합니다. 몸과 마음을 편안하게 유지하면서 긍정적인 에너지를 충전하고, 어려운 순간에도 지속적으로 나아갈 수 있는 힘을 얻을 수 있습니다.

지속적인 학습과 발전

첫걸음은 단순히 시작일 뿐입니다. 성공적인 여정을 위해서는 지속적인 학습과 개발이 필요합니다. 새로운 경험을 통해 배우며, 성장의 과정을 즐기며, 지속적으로 발전하는 것이 삶을 더욱 풍요롭게 만들어갈 것입니다.

두려움에 맞서 첫걸음을 내딛는 과정을 지원하고, 그로부터 기대되는 성장과 성취를 엿볼 수 있는 안내서입니다. 시작은 언제나 어렵지만, 우리는 자신을 믿고, 작은 첫걸음부터 시작하여 더 큰 성공으로 나아갈 수 있습니다. 자, 이제 여러분의 새로운 여정을 시작해 봅시다.

제3장. 부자가 되고 싶습니다 - 부의 원리

"부자가 되기 위한 원리와 전략"

많은 이들이 부자가 되기를 간절히 원합니다. 하지만 부자가 되는 것은 우연이 아닌 특정한 원리와 전략을 따르는 결과입니다. 이 책에서는 부의 원리를 탐구하고, 부자가 되기 위한 핵심 전략들을 제시합니다. 부의 길을 걷기 위한 첫걸음을 내딛어 보세요.

1. 긍정적인 부의 마인드셋

부자가 되기 위한 첫 번째 원리는 긍정적인 부의 마인드셋을 갖는 것입니다. 이 장에서는 성공적인 부자들이 어떻게 긍정적이고 풍부한 마음가짐을 갖고 있는지 살펴보며, 자신의 생각을 통해 부의 에너지를 창출하는 방법을 알아봅니다.

2. 목표와 계획의 중요성

부자가 되기 위해서는 명확한 목표와 그에 따른 계획이 필요합니다. 이 장에서는 목표를 설정하고 이를 달성하기 위한 전략적인 계획을 세우는 방법을 다룹니다. 부자들은 어떻게 목표를 효과적으로 수립하고 계획을 실행하는지를 살펴봅니다.

3. 투자와 재테크 전략

　부자가 되기 위해서는 돈을 효과적으로 투자하고, 재테크하는 능력이 필요합니다. 이 장에서는 부자들이 어떻게 자산을 키우고 효과적으로 투자하는지, 그리고 재테크의 기본 원리를 탐구합니다.

4. 끊임없는 자기 계발

부자가 되기 위해서는 끊임없는 자기 계발이 필수적입니다. 이 장에서는 부자들이 어떻게 지속적인 학습과 성장을 추구하는지, 자기 계발을 통해 부의 지혜를 어떻게 얻어가는지를 다룹니다.

5. 기회를 포착하는 민첩성

부자들은 기회를 포착하고 적시에 대응하는 감각을 가지고 있습니다. 이 장에서는 부의 민첩성을 키우고, 주변의 기회를 어떻게 포착하고 활용할 수 있는지를 살펴봅니다.

부자가 되기 위해서는 긍정적인 마인드셋, 명확한 목표와 계획, 투자와 재테크 전략, 끊임없는 자기 계발, 그리고 기회를 포착하는 민첩성이 필요합니다. 이 책을 통해 독자들은 부의 원리를 이해하고, 부자가 되기 위한 첫 걸음을 내딛을 수 있는 통찰력을 얻게 될 것입니다. 부의 길에 함께 나아가보세요.

부자가 되고 싶다는 꿈은 우리의 삶에서 흔한 소망 중 하나입니다. 이 책을 통해 부자가 되기 위한 핵심 원리와 전략을 살펴보았습니다. 부자가 되기 위해서는 먼저 긍정적인 부의 마인드셋을 갖고, 명확한 목표와 그에 따른 계획을 세우는 것이 중요합니다. 투자와 재테크 전략을 통해 돈을 효과적으로 활용하고, 끊임없는 자기 계발을 통해 성장하며, 기회를 놓치지 않는 민첩성을 기르는 것도 부자가 되는 핵심입니다.

부자가 되는 길은 어렵고 도전적일 수 있지만, 우리는 자신의 능력과 가능성을 믿고, 지식을 쌓고, 노력하여 성공할 수 있습니다. 부자가 되기 위해서는 결코 단기적인 목표만을 추구하는 것이 아니라 장기적인 비전을 갖고 지속적인 노력을 기울이는 것이 필요합니다. 부자가 되는 과정은 곧 성장의 과정이며, 그 여정에서 얻는 지혜와 경험은 보다 풍요로운 삶을 이루는데 도움이 될 것입니다.

부자가 되는 것은 단순히 돈을 얻는 것 이상입니다. 그것은 자유와 기회를 만들어내며, 자신과 주변 사람들에게도 긍정적인 영향을 끼치는 것입니다. 부자가 되는 여정에서 소중한 가치와 윤리를 지키며, 주변을 도울 수 있는 부자로 성장하길 바랍니다. 부자가 되기 위한 여정이 여러분에게 풍요와 만족을 안겨주길 기대합니다. 함께 부자의 길을 걸어나가며 더 나은 미래를 향해 나아가보세요.

부자가 되기 위해서는 긍정적이고 풍요로운 마인드셋이 필수적입니다. 어떠한 상황에도 긍정적인 시각을 유지하고, 가능성을 찾아내며, 실패를 학습의 기회로 삼는 것이 부의 원리의 첫걸음입니다.

목표 설정과 계획 수립

부자가 되기 위해서는 명확한 목표와 그에 따른 계획이 필요합니다. 부의 원리에 따르면 목표를 세우고 그에 따른 계획을 수립하는 것은 부의 시작입니다. 목표를 향해 나아가는 작은 단계들이 쌓여 큰 성과로 이어지게 됩니다.

지속적인 자기계발

부자가 되기 위해서는 지속적인 자기계발이 필수입니다. 새로운 지식을 습득하고 기술을 향상시키며, 개인적인 역량을 계속해서 강화하는 것은 부의 원리의 핵심 중 하나입니다.

효율적인 자금관리

부자가 되기 위해서는 돈을 효과적으로 관리하는 능력이 필요합니다. 지출을 통제하고 투자를 통해 자산을 증가시키는 습관을 만드는 것이 중요하며, 금융적 지혜를 통해 돈을 능동적으로 활용하는 것이 부의 원리입니다.

리스크를 감수하며 투자

부자가 되기 위해서는 어느 정도의 리스크를 감수하며 투자하는 능력이 필요합니다. 안전한 선택만을 피해 가치 있는 투자 기회를 찾아내고, 자신의 미래를 향한 투자를 통해 부를 쌓을 수 있습니다.

타인과의 협력과 네트워킹

부자가 되기 위해서는 타인과의 협력과 네트워킹이 필요합니다. 다양한 사람들과의 관계를 구축하고, 협업을 통해 새로운 기회를 찾아 나가는 것이 부자의 길입니다.

사회적 책임과 공헌

부자가 되었을 때 사회에 대한 책임과 공헌이 중요합니다. 부의 원리에 따르면 부의 목적은 단순히 개인적인 이익뿐만 아니라, 사회에 기여하고 도움을 주는 것입니다. 부자가 되어 얻은 성공을 통해 주변 사회에 긍정적인 변화를 일으키는 것이 부의 원리의 궁극적인 목표입니다.

이 책은 부자가 되기 위한 원리와 지혜를 살펴봄으로써 독자들에게 부의 세계로 나아가는 여정에서의 지침서가 되어줄 것입니다. 부자가 되기 위해서는 개인적인 변화와 지속적인 노력이 필요하며, 이를 통해 쌓인 부의 원리에 따라 성공적인 미래를 향해 나아갈 것입니다. 부자가 되기 위한 여정은 시작일 뿐, 그 여정에서 얻는 지혜와 경험은 더 큰 성공으로 이어질 것입니다.

제5장. 성공 따라가기 - 성공해석법

"성공의 비밀 품는 길: 성공 따라가기와 성공해석법"

우리는 모두 성공을 갈망합니다. 그러나 성공의 길은 각자 다르게 펼쳐지며, 성공은 주관적인 경험입니다. 이 책에서는 성공 따라가기와 성공을 해석하는 다양한 방법을 살펴보며, 성공의 비밀을 탐구합니다. 성공이란 무엇인지, 어떻게 따라가고 해석해야 하는지에 대한 통찰력을 함께 나눠보겠습니다.

1. 성공의 정의와 다양성

성공은 각자의 가치관과 목표에 따라 다르게 정의됩니다. 이 장에서는 성공의 다양성을 살펴보며, 각자가 원하는 성공의 정의를 찾는 과정을 탐험합니다. 또한 성공을 추구하는 동기와 가치관에 대한 고찰을 통해 개인적인 성공의 방향을 찾는 방법을 다룹니다.

2. 성공 따라가기와 역경 극복

성공한 사람들의 이야기를 통해 성공을 따라가는 방법을 배우는 것은 중요합니다. 이 장에서는 성공한 인물들의 경험과 역경을 극복하는 데에 어떤 노력과 인내가 필요한지를 알아보며, 그들의 성공 이야기에서 얻을 수 있는 교훈을 살펴봅니다.

3. 실패와 성공의 연관성

성공은 실패와 떼려야 뗄 수 없는 관계에 있습니다. 이 장에서는 실패가 성공의 일부로서 어떻게 해석되어야 하는지를 살펴보며, 실패에서 배우고 성장하는 과정이 성공에 어떻게 이어질 수 있는지를 다룹니다.

4. 성공과 행복의 조화

성공은 행복과도 밀접한 연관이 있습니다. 이 장에서는 성공과 행복의 조화를 이루는 방법을 살펴보며, 성공의 과정에서 행복을 놓치지 않고 함께 가는 방법을 탐험합니다.

5. 다양한 성공의 지표

성공은 다양한 지표로 나타날 수 있습니다. 이 장에서는 자신의 성공을 측정하고 평가하는 다양한 방법을 알아보며, 주변의 평가나 사회적 기준에 갇히지 않고 자신만의 성공의 척도를 찾는 방법을 다룹니다.

6. 다양한 성공 모델과 그들의 이야기

마지막으로, 성공의 다양한 모델과 그들의 이야기에 주목합니다. 여러분의 성공을 위해 다양성을 수용하고, 다양한 성공 이야기를 통해 영감을 얻어보세요. 각자가 찾아가는 성공의 모습은 다양하고 특별합니다. 다양성을 인정하며 성공의 다양한 양상을 탐험합니다.

성공을 따라가고, 성공을 해석하는 것은 개인적인 여정입니다. 이 책을 통해 독자들은 성공의 다양성을 이해하고, 실패와 성공의 연관성을 깨달으며, 자신만의 성공과 행복의 조화를 찾아가는 통찰력을 얻을 것입니다. 성공은 주관적이고 다양한 모습을 가지고 있습니다. 여러분의 성공의 비밀을 찾아 나가며, 더 풍요로운 삶을 살아보세요.

성공 따라가기와 성공을 해석하는 두 가지 중요한 주제에 대해 깊이 있는 통찰력을 얻었을 것입니다. 성공은 개인마다 그 정의와 의미가 다르며, 성공을 따라가는 여정은 곧 자기 발견과 성장의 여정이기도 합니다.

성공을 따라가는 과정에서는 역경과 실패가 불가피하게 등장할 것입니다. 그러나 이러한 어려움들이 성공에 도전적인 매력을 부여하며, 실패에서 얻는 교훈은 당신의 성공을 더욱 강하고 풍요롭게 만들 것입니다.

또한, 성공의 해석은 각자의 가치관과 목표, 그리고 주변의 환경과 관계에 따라 크게 다를 수 있습니다. 여러분은 이 책을 통해 자신만의 성공의 정의를 찾아내고, 주변의 기준에 휘둘리지 않는 강한 성공해석 능력을 기를 수 있었을 것입니다.

성공은 단지 목표를 달성하는 것뿐만 아니라, 행복과 만족을 동반한 삶의 여정입니다. 따라서 여러분은 성공 따라가기와 함께 행복과 조화를 이루는 방법을 찾아 나가야 합니다. 자신만의 비전과 목표를 향해 나아가면서, 주변의 의견이나 사회적 압력에 휩쓸리지 않고, 진정한 의미의 성공과 행복을 찾아 나가길 바랍니다.

성공과 행복의 길은 끊임없는 도전과 배움, 그리고 자기 발견의 여정입니다. 이 여정에서 여러분은 자신의 열정과 노력을 통해 성공과 행복을 현실로 만들어낼 것입니다. 성공 따라가기와 성공해석에 대한 여정을 계속해서 즐겨보세요. 여러분이 꿈꾸는 성공과 행복이 여러분과 함께하기를 기대합니다.

성공 따라가기 - 성공해석법은 개인마다 다른 의미와 가치를 가지며, 각자가 원하는 성공을 이루기 위해 필요한 원칙과 방법을 제시합니다. 성공을 따라가기 위해서는 목표 설정과 계획 세우기, 긍정적인 마인드셋을 갖추기, 지식과 기술을 습득하고 발전시키기, 실패와 어려움을 극복하는 능력을 갖추는 등 다양한 요소들이 필요합니다.

성공해석법은 자신의 가치관과 목표에 맞는 성공의 의미를 정의하고, 그에 따라 행동하는 것입니다. 또한, 실패와 어려움을 긍정적인 시각으로 바라보고 극복하는 마인드셋을 갖추는 것이 중요합니다. 또한, 긍정적인 환경과 좋은 인맥을 형성하고 유지하는 것도 성공을 이루는 데 도움이 됩니다.

성공해석법은 지속적인 노력과 발전을 통해 성공을 유지하는 것을 강조합니다. 자기관리와 동기부여를 통해 지속적인 성장을 이루고, 자신의 성공해석법을 실천함으로써 성공을 따라갈 수 있습니다.

이 책을 통해 독자들은 자신의 성공을 위한 방향성을 찾고, 개인적인 성공해석법을 발전시킬 수 있습니다. 성공은 단순히 외부적인 성과뿐만 아니라 내면적인 만족과 행복을 이루는 것입니다. 자신의 가치와 목표에 따라 성공을 따라가는 여정에서 도전하고 성장하는 삶을 즐기길 바랍니다.

제6장. 내가 지금 가난한 이유 - 가난한 습관 분석하기

"가난한 이유, 가난한 습관: 변화의 시작"

가난한 상태에서 벗어나고자 하는 우리 모두에게는 변화의 필요성이 큽니다. 그러나 변화의 시작은 자신의 행동과 습관을 면밀하게 살펴보는 것에서 출발합니다. 이 책에서는 "내가 지금 가난한 이유 - 가난한 습관 분석하기"를 주제로, 가난한 습관을 식별하고 건강하고 풍족한 삶을 향한 첫걸음을 내딛을 수 있는 방법을 탐험해 보겠습니다.

1. 소비 습관과 지출 관리

가난한 이유 중 하나는 소비 습관과 지출 관리의 부족일 수 있습니다. 이 장에서는 어떤 소비 습관이 가난을 유지하는 데 영향을 미치는지를 살펴보고, 지출 관리의 중요성을 강조합니다. 지출을 분석하고 조절함으로써 자신의 재정 상태를 개선하는 방법을 알아봅니다.

2. 미래를 위한 계획과 목표 설정

가난한 이유 중 하나는 미래를 위한 계획과 목표의 부재입니다. 이 장에서는 어떻게 목표를 설정하고 계획을 세워 미래를 대비할 수 있는지를 살펴봅니다. 목표를 향해 나아가며 변화를 이루는 데 필요한 계획 수립의 기술을 익힙니다.

3. 자기투자와 교육의 중요성

가난한 상태를 벗어나기 위해서는 자기투자와 교육이 필수적입니다. 이 장에서는 어떻게 자기를 투자하고, 교육을 통해 능력을 향상시켜 경제적인 독립을 이룰 수 있는지를 알아봅니다. 자기 개발을 통해 가난의 사이클을 깨고 새로운 기회를 찾아내는 방법을 탐구합니다.

4 긍정적인 마인드셋과 스트레스 관리

가난한 상태에서 벗어나기 위해서는 긍정적인 마인드셋과 스트레스 관리가 중요합니다. 이 장에서는 어떻게 긍정적인 마음가짐을 유지하고, 스트레스를 효과적으로 관리하여 가난의 압박을 덜 수 있는지를 다룹니다. 마음의 건강을 키우는 것이 변화를 가져오는 데 얼마나 중요한지를 깨닫게 될 것입니다.

5. 사회적 네트워크 구축과 협력

가난한 상태에서 벗어나기 위해서는 사회적인 네트워크의 구축과 협력이 필수적입니다. 이 장에서는 어떻게 주변의 지원을 받고, 협력을 통해 더 나은 기회를 창출하는지를 살펴봅니다. 사회적인 연결을 통해 가난의 고립을 깨고 함께 성장하는 방법을 알아봅니다.

가난한 이유는 다양하며, 그 중 상당수는 개인의 습관과 행동에서 비롯됩니다. 하지만 이러한 습관들은 변경 가능하며, 긍정적인 경제적 변화를 가져올 수 있습니다. 가난한 습관을 분석하고, 긍정적인 변화를 향해 나아가는 것은 더 나은 미래를 창출하는 첫걸음일 것입니다.

가난한 상태를 극복하기 위한 핵심적인 습관과 행동을 알아보았습니다. 가난한 습관을 분석하고, 건강하고 풍요로운 삶을 위한 변화의 방향을 찾아가는 여정은 어렵고 도전적일 수 있습니다. 그러나 지금 여러분이 변화의 길을 찾고, 가난한 습관을 극복하기 위한 노력을 기울인다면, 미래는 더 밝고 풍요로운 것으로 펼쳐질 것입니다. 이 변화의 여정에서 여러분은 자신의 잠재력을 발견하고, 더 나은 삶으로 나아갈 수 있을 것입니다. 변화의 문을 열고 나서는 여러분이 찾아낼 풍요로운 삶을 기대합니다. 함께 이 변화의 여정을 걸어가며 더 나은 미래로 향해 나가길 기대합니다. 출발해봅시다.

가난한 이유를 진단하고 가난한 습관을 분석하는 여정을 통해 여러분은 이미 첫걸음을 내디뎠습니다. 이제 여러분은 자신을 깊이 이해하고, 더 나은 미래를 위한 변화의 씨앗을 심은 것입니다. 이 책을 통해 여러분은 가난한 습관들이 어떻게 여러분의 삶을 영향을 미치는지를 살펴보았고, 이를 극복하기 위한 다양한 전략을 배웠습니다. 그럼에도 불구하고, 가난한 습관을 변화시키는 것은 어려운 일일 수 있습니다.

가난한 습관 분석의 핵심은 자기인식과 자기개선에 있습니다. 여러분이 자신의 행동과 생각을 세심하게 관찰하고, 그에 대한 책임을 질 수 있다면, 가난한 습관을 극복하는 데 한걸음 더 다가갈 것입니다. 하지만 이는 순식간에 이루어지는 것이 아닙니다. 시간과 노력이 필요하며, 가난한 습관을 근본적으로 바꾸기 위해서는 인내와 인내가 더 필요할 것입니다.

가난한 습관을 극복하는 여정은 불안하고 불편할 수 있습니다. 하지만 이는 성장과 변화의 일부입니다. 여러분이 삶의 풍요로운 경로로 나아가고자 한다면, 편안한 지대에서 벗어나 변화에 도전하는 용기와 결단력이 필요합니다.

가난한 습관을 극복함으로써 여러분은 자신의 삶에 긍정적인 영향을 주는 것뿐만 아니라, 주변 사람들과의 관계도 개선시킬 수 있습니다. 이는 더 나은 커뮤니티와 미래를 형성하는데 기여하는 것이 될 것입니다.

마지막으로, 이 여정에서 실패와 어려움이 당연히 있을 것입니다. 그러나 실패는 새로운 시도와 학습의 기회이며, 어려움은 여러분이 얼마나 강인한지를 보여주는 계기입니다. 변화의 여정을 두려워하지 말고, 각 도전마다 새로운 가능성을 찾아 나가기를 바랍니다.

가난한 습관을 분석하고 극복하는 여정에서 여러분은 자신의 힘과 용기를 발견하게 될 것입니다. 이 여정이 여러분에게 풍요로운 삶의 길을 열어주길 기대하며, 더 나은 미래로 향해 나가기를 축복합니다.

가난한 상태에서 벗어나기를 원하는 독자들에게 도움을 주고자 작성되었습니다. 가난은 우리가 희망과 안정을 추구하는 데 큰 장애물

이 될 수 있지만, 이 책을 통해 가난한 습관을 분석하고 변화를 이루는 방법을 배울 수 있습니다.

가난한 상태에서 벗어나기 위해서는 우리 자신의 습관과 행동양식을 면밀히 분석해야 합니다. 이 책에서는 가난한 습관의 식별과 그에 대한 분석을 통해 우리가 가지고 있는 자원과 돈을 효과적으로 관리하지 못하는 이유를 알려줍니다. 소비 습관의 영향, 긍정적인 마인드셋의 부재, 시간과 에너지의 낭비, 교육과 지식의 부족, 사회적인 관계와 영향력의 부재 등 가난한 습관의 다양한 요인들을 분석하고 대응 방안을 제시합니다.

가난한 습관을 분석하고 변화를 이루기 위해서는 우리 자신에 대한 자기인식과 관찰이 필요합니다. 우리는 소비 습관을 재조정하고 돈과 자원을 효과적으로 관리하는 방법을 익혀야 합니다. 또한, 긍정적인 마인드셋을 형성하고 자기개발을 통해 성장해야 합니다. 시간과 에너지를 효과적으로 활용하고 목표를 설정하며 생산적인 습관을 형성해야 합니다. 교육과 지식을 습득하고 자신에게 필요한 기술을 익혀야 하며, 긍정적인 인맥을 형성하고 사회적인 네트워킹을 통해 영향력을 갖추어야 합니다.

변화는 도전과 어려움을 동반할 수 있지만, 그 과정에서 우리는 성장하고 발전할 수 있습니다. 변화를 통해 가난한 상태에서 벗어나 더 나은 경제적 상황을 창출할 수 있습니다. 이 책은 독자들에게 가난한 습관을 분석하고 변화를 이루는 데 필요한 도구와 지침을 제공하고자 합니다.

　가난한 이유를 분석하고 변화를 이루기 위한 첫 걸음을 내딛어보세요. 변화는 한 번에 이루어지는 것이 아니라 지속적인 노력과 의지가 필요합니다. 하지만 변화를 통해 우리는 자신의 잠재력을 실현하고 더 나은 삶을 이룰 수 있습니다. 저자로서 여러분의 변화의 여정에 동참하여 응원하며, 미래에 성공과 행복이 함께하길 기원합니다.

제7장. 저자가 변화를 원하는 독자들에게 / 에필로그

"변화의 문을 열어, 새로운 여정을 시작하다"

삶은 끊임없는 흐름 속에서 변화와 성장의 기회를 안고 있습니다. 그러나 변화의 문을 열기는 언제나 쉽지 않습니다. 이 책에서는 여러분이 자신의 삶에 변화를 가져오고, 더 나은 자아로 거듭나기 위한 여정을 함께 나누고자 합니다.

1. 변화의 필요성과 의미

변화는 우리의 삶에서 빼놓을 수 없는 요소입니다. 이 장에서는 변화의 필요성과 그에 따른 의미를 살펴보며, 왜 변화가 필요한지에 대해 고민하는 계기를 제공합니다. 여러분이 왜 변화를 원하는지, 그 목표는 무엇인지를 명확히 하는 것이 시작의 첫걸음입니다.

2. 변화의 방법과 전략

변화를 원한다면 어떻게 시작할지 고민이 될 것입니다. 이 장에서는 실질적인 변화의 방법과 전략을 알아봅니다. 자주 어떤 습관을 심어야 하는지, 어떤 목표를 세워야 하는지, 그리고 일상에서 어떻게 변화를 주도할 수 있는지에 대한 가이드를 제시합니다.

3. 자아 발견과 성장

변화는 동시에 자아의 발견과 성장을 의미합니다. 이 장에서는 자신을 깊이 이해하고 발전시키는 방법을 탐험합니다. 자아 발견을 통해 어떻게 더 강한 자신으로 거듭날 수 있는지를 살펴봅니다.

4. 거스러운 고난과 변화의 순간

변화는 항상 쉽게 일어나지 않습니다. 어려움과 고난을 극복하며 변화의 문을 열어나가는 과정은 도전적일 수 있습니다. 이 장에서는 어려움에 부딪혔을 때 어떻게 힘을 내고, 고난을 이겨내며 성공적인 변화를 이끌어 나갈 수 있는지를 다룹니다.

5. 변화의 미래와 함께하는 삶

변화를 원하는 독자여, 여러분의 미래는 무한한 가능성으로 가득 차 있습니다. 이 장에서는 변화를 통해 어떻게 보다 풍요로운 삶을 만들어갈 수 있는지를 생각해보며, 변화의 끊임없는 흐름에 함께하며 성장하는 삶을 제안합니다.

새로운 모험과 성장을 경험하는 데에 도움이 되기를 바랍니다. 변화의 문을 열고 나서는 여정이 어떻게 전개될지는 알 수 없습니다. 하지만 그 여정이 여러분에게 새로운 희망과 기회를 제공하며, 더 나은 삶으로 이끌어 줄 것입니다. 변화를 향한 여러분의 첫걸음이 축복받은 여정으로 이어지길 기대합니다. 함께 변화의 세계로 나아가보세요.

변화의 문을 열어 새로운 시작을 꿈꾸는 여러분에게 이 책이 작은 영감이 되었기를 바랍니다. 이제 여러분은 자신의 삶에 긍정적인 변화를 가져오기 위한 첫 걸음을 떼었고, 그 첫걸음이 여러분의 미래를 더 밝게 비추기를 기대합니다.

이 책을 통해 여러분은 변화의 필요성을 깨달았을 것입니다. 삶은 끊임없는 흐름이며, 그 흐름에 따라 우리는 성장하고 발전합니다. 변화는 불가피한 것이지만, 우리는 그 변화를 무모하여 더 나은 삶을 만들어 갈 수 있습니다.

또한, 여러분은 변화의 방법과 전략을 익혔을 것입니다. 자주 변화의 과정에서 어려움에 부딪힐 수 있겠지만, 그 어려움을 이겨내고 성공적인 변화를 이끌어낼 자신이 있습니다. 고난 속에서의 성취감은 여러분에게 새로운 자신을 발견하게 해줄 것입니다.

이 책은 또한 여러분에게 자아 발견과 성장을 제안했습니다. 자신을 깊이 이해하고 발전시키는 과정에서 여러분은 더 풍요로운 내적 삶을 찾을 수 있을 것입니다. 그리고 이 내적 풍요는 외적인 성공과 행복으로 이어질 것입니다.

거스를 만날 때, 그리고 어려움에 부딪힐 때, 이 책에서 얻은 지혜와 통찰력을 기억하세요. 고난과 어려움이 여러분을 성장시키고, 더 큰 성공으로 이끌 것입니다. 변화의 미래는 여러분이 그린 그림 그대로 현실이 될 것이며, 여러분의 노력과 결실이 어울려 더 나은 삶을 만들어갈 것입니다.

여러분의 변화의 여정을 응원하고 돕는 작은 동반자로 남아 있기를 기대합니다. 여러분이 꿈꾸는 변화의 길이 여러분에게 풍요로운 경험과 성공을 안겨주길 바라며, 더 나은 미래를 향해 함께 나아가는 여정이 여러분에게 큰 기쁨과 만족을 줄 것입니다. 변화의 문을 열고 나아가는 여러분에게 밝은 미래가 기다리고 있습니다. 함께 걸어가며 더 나은 삶을 만들어 나가길 기대합니다.

변화는 우리 인생에서 빠질 수 없는 요소이며, 우리가 더 나은 삶을 위해 추구하는 핵심입니다. 이 책에서는 변화의 의미와 중요성을 이해하고, 변화를 이루기 위한 다양한 방법과 전략을 안내하였습니다.

변화를 원하는 독자 여러분은 자기인식과 목표 설정을 통해 어떤 변화를 원하는지를 명확히 파악하고, 그에 맞는 계획과 전략을 세워야 합니다. 또한, 변화를 위한 긍정적인 마인드셋과 자기개발을 통해 자신의 역량을 향상시키는 것이 중요합니다. 변화의 과정에서는 어려움과 장벽이 있을 수 있지만, 이를 극복하고 새로운 행동과 습관을 형성함으로써 변화를 이룰 수 있습니다.

변화의 여정은 단순한 일시적인 목표 달성이 아닌 지속적인 성장과 발전을 위한 여정입니다. 변화를 유지하고 성공적으로 관리하기 위해서는 자기관리와 동기부여가 필요합니다. 또한, 변화는 우리가 원하는 삶을 이루기 위한 도구일 뿐만 아니라, 내면적인 만족과 행복을 찾는 과정이기도 합니다.

변화를 원하는 독자 여러분은 이 책을 통해 변화의 의미와 중요성을 이해하고, 자신의 변화를 위한 목표와 계획을 세우는 방법을 배우실 수 있습니다. 또한, 변화를 위한 마인드셋과 자기개발, 그리고 변화의 장벽과 극복 선략에 대해 깊이 이해하실 수 있을 것입니다. 이 책은 독자 여러분이 자신만의 변화를 이루는 여정에서 동반자가 되어 드리고자 합니다.

변화는 도전과 어려움을 동반할 수 있지만, 그 과정에서 우리는 성장하고 발전할 수 있습니다. 변화를 통해 더 나은 삶을 이루기 위해 지금부터 행동에 옮겨보세요. 변화의 여정은 오롯이 여러분의 손에 달려있습니다. 저자로서 여러분의 변화를 응원하며, 미래에 성공과 행복이 여러분과 함께하길 기원합니다.

이상으로 "저자가 변화를 원하는 독자들에게"에 대한 책 결론을 길게 작성해드렸습니다. 추가로 궁금한 점이 있으시면 언제든지 문의해주세요. 변화와 성공적인 변화의 여정을 응원합니다.